Édition française établie avec la collaboration de François Monneron, psychothérapeute au centre médico-psycho pédagogique de l'Aube, directeur associé au cabinet ANASYS

Texte français de Marie-Elisabeth Rouvières

ISBN 2-7192-1130-3
Édition originale ISBN 0-307-12484-3 Western Publishing Company Inc., Racine
© 1985 by Barbara Shook Hazen, pour le texte original en anglais
© 1985 by Pat Schories, pour les illustrations
© 1986 by Éditions des Deux Coqs d'Or, Paris, pour l'édition en langue française
Titre original *Why did Grandpa die* ?

« Loi n° 49-956 du 16 juillet 1949 sur les publications destinées à la Jeunesse » -
Dépôt légal : Avril 1986. Les Deux Coqs d'Or éditeur n° 1/8646.08.85 - Imprimé en Italie (22).

Pourquoi grand-papa ne revient-il pas ?

par Barbara Shook Hazen
Illustrations de Pat Schories

DEUX COQS D'OR

UN MOT POUR LES PARENTS ET LEURS ENFANTS

Il est très difficile, même pour les adultes, de comprendre et d'accepter la mort. Elle soulève bien des questions chez les enfants. Ils ont besoin de savoir la vérité et de parler de leurs sentiments et de leurs craintes avec leurs parents. C'est une occasion privilégiée pour chaque membre de la famille de présenter clairement des faits essentiels et d'exprimer sa façon de voir ou ses croyances religieuses.

Pourquoi Grand-papa ne revient-il pas ?
aidera à établir la communication entre parents et enfants au sujet de la mort.

Avec ce livre, les enfants pourront trouver des réponses aux questions qu'ils se posent et en parler avec leurs parents. Avec eux, ils verront quel réconfort on peut trouver à partager sa peine et combien les souvenirs contribuent à atténuer la tristesse.

Quand Claire était petite, tout le monde disait qu'elle ressemblait à Grand-Papa. Elle avait ses fossettes, ses cheveux bouclés et sa curiosité.

Plus tard, Grand-Papa l'emmena au parc et lui apprit à faire flotter des bateaux.

A la maison, il faisait de la citronnade rose avec sa recette secrète.

Tout le monde disait que Claire et Grand-Papa se ressemblaient comme deux gouttes d'eau.

Ils aimaient tous les deux la glace fondue, les fleurs sauvages et les promenades dans les bois.

Ils n'aimaient ni l'un ni l'autre les grosses vagues de la mer, les haricots et qu'on leur dise de se dépêcher.

Un jour, Grand-Papa et Claire plantèrent un jardin de fleurs sauvages contre la clôture, au fond du jardin.

Grand-Papa apprit à Claire à préparer la terre, à semer les graines et à marquer leur emplacement.

En semant, Claire trouva un papillon mort.

« Regarde, Grand-Papa, dit-elle. Il ne bouge pas.

— Il ne bougera ni ne volera jamais plus », dit Grand-Papa.

Ils enterrèrent le papillon. Pour se souvenir de l'endroit, ils posèrent un joli caillou en forme d'œuf par-dessus.

« Comment peut-il respirer dans la terre ? demanda Claire.

— Il est mort. Il ne respire pas, dit Grand-Papa, mais, nous, nous pouvons nous rappeler comment il était quand il était vivant… »

Grand-Papa avait dit qu'il emmènerait Claire faire un tour dans un vrai bateau. Mais, le jour venu, Grand-Papa ne se sentait pas bien. Il avait mal dans la poitrine et respirait difficilement. Il dit tout bas à Claire qu'il l'emmènerait faire du bateau une autre fois.

Claire était malheureuse que Grand-Papa soit malade. Elle était un peu déçue aussi qu'il ne tienne pas tout de suite sa promesse.

« Grand-Papa a besoin de se reposer maintenant », intervint Maman. Et elle embrassa Claire bien fort en lui disant qu'elle reverrait son grand-père le lendemain matin.

13

Le jour suivant, Grand-Papa partit pour l'hôpital.
En s'en allant il dit à Claire : « Ne t'inquiète pas. Ils
vont me guérir et nous irons faire du bateau à mon retour.
— D'accord », dit Claire en embrassant Grand-Papa.

Mais Grand-Papa ne guérit pas. Il devint de plus en plus malade. Les parents de Claire étaient tristes et silencieux. Claire devait jouer seule dans sa chambre.

Et un jour, le téléphone sonna. Claire entendit sa mère dire : « Oh, non ! », d'une drôle de voix.

Claire eut envie de demander ce qui n'allait pas, mais elle eut peur qu'il s'agisse de quelque chose de très grave ou de quelque chose de mal qu'elle avait fait, elle.

Son père rentra aussitôt à la maison. Il serra sa fille dans ses bras et dit : « Grand-Papa est parti.

— Où ? dit Claire. Pourquoi est-ce qu'il ne m'a pas dit au revoir ?

— Grand-Papa est mort, dit son père.

— Il ne peut pas être mort, dit Claire. Il a dit qu'ils allaient le guérir.

— Il était très vieux et très malade. On ne pouvait pas le guérir, même à l'hôpital », dit le père de Claire. Il la serra encore plus fort et se mit à pleurer.

Claire n'aimait pas du tout ça. Elle se tortilla pour s'échapper, courut dans sa chambre et s'allongea sur son lit.

Elle avait mal au cœur et elle avait peur, mais elle n'avait pas envie de pleurer.

Puis, le père de Claire entra. Il s'assit au bord du lit et il dit :
« Grand-Papa était mon père et je l'aimais beaucoup. Je sais
que tu l'aimais beaucoup aussi. Et lui, il t'adorait.

— Alors, pourquoi est-ce qu'il fallait qu'il meure ? demanda
Claire.

— Tout ce qui est vivant doit mourir un jour, répondit son
père d'une voix basse. La mort est la fin de la vie ». Claire lança
en l'air son coussin en forme de panda.

« Mais il m'avait promis de revenir… Nous devions même
aller faire du bateau ensemble. »

Plus tard, la maman de Claire arriva avec de la citronnade.

« Je ne veux pas de cette citronnade, dit Claire. Je veux celle de Grand-Papa.

— Moi aussi, dit sa mère, et ton papa aussi. Mais Grand-Papa est mort. Nous ne pouvons plus le voir maintenant, sauf en photo et dans nos souvenirs.

— Mais je ne veux pas qu'il soit mort », dit Claire en se tournant vers le mur.

Quelques jours plus tard, il y eut une cérémonie religieuse pour Grand-Papa et des prières pour lui. C'était long et il faisait très chaud. Claire aurait bien voulu sortir, mais elle n'osait pas. Des grandes personnes pleuraient sans pouvoir s'arrêter et cela impressionnait Claire.

Ensuite, tout le monde alla au cimetière avec toutes sortes de fleurs, mais pas les fleurs sauvages que Grand-Papa préférait.

Pendant qu'il y avait encore des discours, Claire cueillit des marguerites. Elle en fit un bouquet qu'elle mit à côté des autres fleurs. « Adieu, Grand-Papa », dit-elle.

Mais elle continuait à croire qu'il reviendrait.

Claire comprit peu à peu que son grand-père ne reviendrait jamais. Il lui manquait énormément.

Il lui manqua quand les feuilles mortes tombèrent. Il n'était pas là pour rire en donnant des coups de pied dedans.

Il lui manqua quand arriva son anniversaire. Elle ne reçut pas le cadeau que son Grand-Papa avait l'habitude de lui donner. Il n'y eut pas, non plus, de citronnade rose faite avec sa recette secrète.

Il lui manqua quand l'école recommença, parce que, les autres années, il l'accompagnait presque tous les jours.

Quand ce fut son tour de raconter ce qu'elle avait fait pendant les vacances, elle parla de tout ce qu'elle faisait avec son grand-père et elle dit comment il était mort. Et, en le racontant à toute la classe, elle commença à y croire.

Cette nuit-là, Claire pleura pour la première fois depuis longtemps. Sa mère la prit dans ses bras et pleura avec elle. Elle lui dit : « Pleurer fait du bien. La tristesse s'en va avec les larmes. »

Quand l'été revint, Grand-Papa manquait toujours à Claire,
mais elle n'était plus triste chaque fois qu'elle y pensait.

Le jardin qu'ils avaient planté ensemble était en fleurs.
« Je voudrais qu'il puisse le voir », dit-elle à sa mère, pendant
qu'elles cueillaient des fleurs.

« Le jardin est un cadeau que Grand-Papa nous a laissé,
répondit sa mère. C'est un beau souvenir de lui. »

Maintenant, Claire avait compris que son grand-père ne reviendrait jamais, jamais plus.

Mais elle continuait à lui parler quelquefois, quand elle était dans le jardin qui avait été leur endroit favori.

« Je lui parle parce que j'aime toujours lui dire ce que je pense, même s'il ne peut pas m'entendre », dit-elle un jour à son père qui l'aidait à arroser les fleurs.

Dans le courant de l'été, quand les cousins de Claire vinrent la voir, elle les emmena dans le jardin. Elle leur raconta des histoires de Grand-Papa et leur fit de la citronnade rose, presque aussi bonne que celle que faisait Grand-Papa.

« Il est mort, dit Claire. Je ne l'embrasserai plus jamais et je n'irai plus jamais nulle part avec lui. Mais je me souviendrai toujours de lui, toujours. »

Et Claire se souvint toujours de son grand-père
tandis qu'elle grandissait et qu'elle s'intéressait à tout
ce qu'elle découvrait. Elle s'en rappelait encore quand,
devenue une grande personne, elle eut des enfants à elle
qui aimèrent la citronnade rose de Grand-Papa, les histoires
de Grand-Papa et la maison pleine de fleurs.